P9-DWG-441

D0037659

FOTOGRAFÍAS AL MINUTO

I, NUEVAS ESCENAS MATRITENSES. (PRIMERA SERIE)
II, NUEVAS ESCENAS MATRITENSES. (SEGUNDA SERIE)
III, NUEVAS ESCENAS MATRITENSES. (TERCERA SERIE)
IV, NUEVAS ESCENAS MATRITENSES. (CUARTA SERIE)
V, NUEVAS ESCENAS MATRITENSES. (QUINTA SERIE)
VI, NUEVAS ESCENAS MATRITENSES. (SEXTA SERIE)

CAMILO JOSÉ CELA / *NUEVAS ESCENAS MATRITENSES, VI*

CAMILO JOSÉ CELA

NUEVAS ESCENAS MATRITENSES

(SEXTA SERIE)

Fotografías de Enrique Palazuelo

FOTOGRAFÍAS AL MINUTO, VI

EDICIONES ALFAGUARA

MADRID-BARCELONA

PRIMERA EDICIÓN
AGOSTO 1966
(4.000 ejemplares)

EDICIONES ALFAGUARA
Orense, 35. — MADRID-20
Buenos Aires, 34-36. — BARCELONA-11
España

PRINTED IN SPAIN

Depósito legal: M. 8336 - VI - 1965

INDUSTRIAS GRÁFICAS ESPAÑA, S. L. - Comandante Zorita, 48 - Madrid-20

A don Fabricio Rincón de los Martínez y Clavellina, ganador del premio de consolación (100 ptas.) Jaime Balmes, ofrecido por TVE.

l Tesoro
ESTAURANTE
ECONOMICO
Tº 226710
GRANJA AVILA

Aquí está mi infantil fotografía
clavándome mis ojos, más profundos que nunca,
con una vaga cosa
posada entre las manos, distraídas y leves.

José María Valverde

1,

Los solitarios, la marihuana y las castañas asadas

LAS CASTAÑAS ASADAS SON MÁS BARATAS QUE LA MA-rihuana y también sirven para combatir la soledad y otros males endémicos. Los solitarios pueden ser de dos clases: verriondos y líricos. Otros autores prefieren dividirlos en dromomaníacos (o andariegos) y molinistas (o contemplativos); aquéllos, a su vez, en toriondos (o rijosos) y gimnásticos (o apolinares), y estos otros, a la suya, en idílicos (o estreñidos) y parnasianos (o inflagaitas áureos); los primeros son muy dados al pillaje y al pastoreo y demás suertes de violencia, y los segundos, por el contrario, se inclinan más bien hacia la jardinería y sus emparentados deleites de la vista. Esta clasificación quizás peque de puntillosa y científica, pero suele ser la más admitida por los tratadistas (sobre todo en el extranjero).

El ciudadano Atenedoro Ameijeiros Marzán, oriundo de la aldea de Riazor, lugar de Carballo, parroquia de Santo Tomé, ayuntamiento de Taboada, partido judicial de Chantada, diócesis de Lugo, reino de Galicia, Spain, es solitario molinista, subgrupo idílico, y se ayuda en sus desazones digestivas consumiendo cantidades industriales de compota de ciruelas; las castañas las toma no más que por vicio, puro vicio, y también para calentarse un poco las manos, que suelen quedársele heladas de tanto tocar hierros de Charleroi, Belgie, Belgique, industriosa villa que se caracteriza por la óptima calidad de los aparejos tranviarios que manufacturan su humeantes fábricas. Al Atenedoro Ameijeiros, sus compañeros de oficio le llaman Celta de Vigo y también Prisciliano, se conoce que por lo del cadáver o lo del no cadáver; algunos, en un alarde de confianza, le dicen Belloto.

—Belloto.

—A la orden.

—¿Cuándo libras?

—El martes.

—¿Vas a ir al canalillo?

—No lo sé; no lo he pensado.

El Prisciliano ama la soledad porque se le suele dar mal la compañía; sus dos primeras señoras, la Purita Suárez Sánchez y la Purita Sánchez Suárez, que no eran parientes, se le murieron de parto, ¡qué mala suerte!, ¿verdad, usted?; a la tercera, la Dorinda Caraceiro Reboiras, la mató el tren, y a la cuarta, la Generosa Seijo Maciñeira, no la mató nadie ni la mata un rayo, de fuerte y saludable que es, pero se le dio el piro con un muerto de hambre que atendía por Florenciano Marradas Benavente, alias Mudalpelo, un soplador de bombillas que soplaba bombillas en la fábrica de bombillas Lámparas Sanguñedo, S. L., y que se fue a soplar bombillas a Venezuela, a la fábrica de bombillas Industrial Eléctrica del Zulia, S. A., IEZUSA, sita en Maracaibo.

—El día que ahorre me compro un cadillac y se lo paso por los hocicos a Celta de Vigo, para que se resigne y no ande incordiando para arriba y para abajo.

—¡Pero, hombre, Marradas B.! —le decía el licenciado Sócrates Berzocana L., senador por el Estado Guárico—, ¿por qué no deja usted tranquilo a su antecesor?

—¡Porque no puedo, licenciado Berzocana L., porque no puedo! ¡Ese tío me quema la sagre!

Las tres esposas fallecidas del Prisciliano se fueron a criar malvas —y también ortigas y yerbaluisa, que de todo hay en el camposanto— sin haberle dado, o al menos prestado, descendencia. Se llama prestar descendencia a la acción y efecto de dar descendencia poco duradera, vamos, descendencia que se apaga poquito a poco y como una pavesa, antes de hacer la primera comunión. Bueno, pues como se iba diciendo: ni siquiera prestada. La cuarta cónyuge, la Generosa, sí fue más fecunda pero, ¡también es falta de conciencia!, se largó con la camada a Ultramar.

—¿Pero no le dejó ni uno?

—¡Ni uno, mi buen amigo! ¡Ni uno sólo!

—¡Qué horror, qué desvergüenza! ¡Qué falta de recato y de agradecimiento!

—¡Y usted que lo diga, mi buen amigo, y usted que lo diga!

—¡Qué dédalo, santo Dios, qué descarrío!

—¿Eh?

—Nada: que qué dédalo, santo Dios, que descarrío.

—¡Ah, ya!

El Prisciliano es tranviario, de oficio, conductor de tranvías. Si él quiere, no para, y si quiere, para de golpe y se van todos de boca contra la puerta. ¡Es troncharse, a veces, ver a todas las señoras, ¡zas!, ¡zas!, para arriba y para abajo, cayéndose unas encima de otras y sudando dentro del caucholín! ¡Así las hiciesen de puré de almortas, que es el peor, que es igual que el tragacanto, por fondonas y bigotudas y sin principios! ¡Lástima que no haya habido un Herodes para señoras que las corriese a zurriagazos, ¡zas!, ¡zas!, igual que ovejas por las calles del pueblo! Don Valerio Mahugo Galisteo, alias Estracilla, tenedor de libros y ex-vocal del Cafeto C. de F., le paró los pies al Maglorio Acebuche Monrobel, alias Quitasol, saxo alto y joven disoluto que con tanta libertad se expresaba acerca de las señoras y los mejores remedios para combatirlas.

—Oiga usted, joven disoluto: retire usted en el acto sus ofensivos conceptos sobre las señoras. ¿Le agradaría a usted que hiciesen puré de almortas con su mamá?

—¡No me miente usted a mi mamá, que en gloria esté, don Valerio! ¡No tiente el amor que sentimos los huérfanos por nuestros difuntos!

El don Valerio Estracilla, aunque era de natural templado, se quedó de una pieza.

—Dispense usted, amigo Maglorio; ignoraba que su mamá hubiese desaparecido.

—¡Hombre, lo que se dice desaparecido! Nosotros la dejamos en la necrópolis del Este, bien empaquetadita. Si después se la llevaron yo no respondo, compréndalo usted.

HJG

—Claro que sí, claro que lo comprendo. Si después de haber hecho las cosas con fundamento, cualquier desaprensivo acabó llevándosela, ¿usted qué culpa tiene? ¡Ninguna en absoluto! A este respecto puede tener tranquila la conciencia; igual que le digo una cosa, le digo otra. ¡Pero ese vocabulario, amiguete Maglorio, ese vocabulario!

Las castañas asadas son más baratas que la marihuana y también consuelan, ¡vaya si consuelan! El Ayuntamiento de Madrid, en aras del progreso, ha prohibido los puestos de castañas. El progreso tiene sus servidumbres, como todo, y de nada vale querer substraerse a la evolución de la especie y de las instituciones. ¿Que un país está subdesarrollado y la gente no sabe ni leer ni escribir y menos aún la capital de Noruega o las características y métodos de obtención de los aldehidos? Pues se quitan los puestos de castañas y en paz. ¡La marcha del progreso es irrefrenable, amigo mío! Es muy fácil echarle la culpa al latifundio y al monopolio. ¡No señor! ¡La culpa la tienen los puestos de castañas! ¿Cuántos puestos de castañas ha visto usted en la Fifth Avenue (Quinta Avenida) de New York (Nueva York)? ¡Ni uno solo! ¿Pues entonces?

—En la próxima, por favor.

—Será servida, señora, para eso estamos.

—Lo malo es que ahora, cuando la gente se percate de la prohibición, las castañas asadas se pondrán por las nubes y tan caras como la marihuana.

—Hombre, no creo; subirán de precio, eso sí,

pero siempre con mayor recato que la marihuana.

—¡No se fíe!

Al Prisciliano le gustan las castañas asadas, nadie lo niega, pero de él todavía no puede decirse que sea un castañasadómano sin recuperación posible; a lo mejor subiéndole un poco el jornal de forma que le permitiera comprarse más macarrones y un poco de carne picada de segunda, se le quitaba el vicio.

—¡Puede! ¡No digo que no!

El Maglorio soplaba el saxo alto en el conjunto The Floating Debts y, claro, gastaba melena a lo Fernando el Católico. ¡Menudo piojoso! El don Valerio, en cambio, se echaba petróleo en el cuero cabelludo, primero para conservar el pelo y después, cuando se le cayó, para que le saliese. Al don Valerio, la pelambrera de los jóvenes le producía verdaderos accesos de ira sarnosa que, según es bien sabido, es la peor.

—¡Más guardia civil y más peluqueros es lo que hace falta en España! —solía rugir los domingos por la tarde, cuando iba al fútbol a rugir—. ¡Vendido, desgraciado! (Esto era al árbitro.) ¡Más palo y más doble cero! ¡Criminal, asesino! (Esto era a un defensa del equipo contrario.) ¡Sí, señor! ¡Más desinfectante! ¡Orsay, orsay! (Esto era cada vez que se movía la delantera de los otros.) ¡Al cuartel con esos peludos! ¡A hacer la instrucción! ¡Penalty!

A la salida del fútbol, el don Valerio no solía decir nada porque estaba ronco y con la garganta en carne viva. Si su equipo ganaba (cosa poco frecuente), se tomaba una cervecita y hasta una ración de gambas con gabardina; si perdía, ni cenaba, ¿para qué? Si perdía se iba a dormir con el bicarbonato al lado, por si acaso. El Prisciliano era algo amigo del don Valerio, tampoco mucho; los solitarios molinistas, subgrupo idílico, nunca llegan a abrir del todo las puertas de su corazón. Los molinistas parnasianos o inflagaitas áureos, por ejemplo el saxo Maglorio, y ni que decir tiene, los dromomaníacos (ora los toriondos o rijosos, verbigratia el soplador de bombillas Florenciano Marradas, Miralpelo, ora los gimnásticos o apolinares, tal el don Valerio Mahugo, Estracilla, y en cierto sentido también el licenciado Berzocana L.), suelen ser más abiertos de carácter, más comunicativos y usuales, aunque no menos solitarios y misteriosos.

2,

Consideraciones sobre historiografía y ciencias conexas

A los reyes de la plaza de Oriente cuesta mucho conocerlos por fuera y así a un primer golpe de vista. A los escultores les dicen: A ver, hágame usted un rey de piedra para poner al aire libre. ¿Cuál prefiere? Pues la verdad, me es igual; hágame usted uno que quede aparente, el nombre ya se lo pondremos después. Oiga, si le encargo una docenita, ¿podría hacerme un precio especial? Sí, señor; encargando una docenita en firme puedo hacerle un precio bastante apañado. Muchas gracias. No hay de qué darlas; servidor. A los reyes de la plaza de Oriente los ponen en postura de rey y en paz. La gente se distingue por las posturas: de rey, de torero, de estreñido, de futbolista, de capitán general con mando en plaza, de recaudador de contribuciones, de amorcillo, de prócer, de comediógrafo, etcétera. Después los bautizan las fuerzas vivas y aquí todos contentos.

—¿Arregló usted lo del seguro?

—Pues no, todavía no.

Los reyes de la plaza de Oriente tienen mucha distinción, mucho empaque; la cara es según (y más bien ni fu ni fa), pero lo que manda es la gallardía del gesto, la prestancia, el ademán fino y elegante; a los reyes de la plaza de Oriente en seguida se les ve que están muy acostumbrados, no es como los diputados provinciales que algunos no saben ni saludar a las señoras. ¡Menuda diferencia! Los reyes de la plaza de Oriente representan su papel la mar de bien, en esto no puede haber queja alguna; a la gente educada pronto se la distingue, basta con que muevan un dedo para que se les note. Los reyes de la plaza de Oriente no mueven un dedo ni nada, esa es la verdad, ni siquiera la nariz para aspirar el perfume de las mimosas, ni las orejas, que tiene más mérito y que lo hace muy poca gente, un primo mío sí que movía las orejas la mar de bien, pero es que no lo necesitan. A los reyes de la plaza de Oriente se les conocen los buenos principios, aunque se estén quietos.

—¿Y el Paquito?

—Pues ya ve usted; tratando de arreglar lo del seguro.

A los reyes de la plaza de Oriente quisieron contratarlos un año para el Tenorio; se opuso el Ayuntamiento porque podían romperse. Hizo bien, ¿no cree? Pues, sí; con los muertos se debe ser respetuoso, no conduce a ninguna parte andar llevándolos de un lado para otro como zarandillos. Estos reyes están bien donde están. Pues, sí; yo pienso lo mismo, ahí están bien y no dan guerra ni marean. Además, deben pesar más de cien arrobas cada uno. ¿Cien arrobas, dice usted? Ponga doscientas y se queda corto. ¿Usted sabe la densidad que tienen esos pedruscos? ¡Dios nos libre! Y aunque pesasen menos y se pudieran llevar en una carretilla. A las obras de arte hay que respetarlas, en eso se conoce la civilización; si en el museo del Prado, pongamos por caso, verbi-

gratia, le pintan bigotes a una señora, ¿sabe usted lo que es eso? Pues burricie, así con todas las letras, burricie y vandalismo. Vandalismo viene de vándalos y los vándalos eran unos gamberros, sólo que de los tiempos antiguos y a caballo. ¡Menudos eran los vándalos! Por donde pasaban, no quedaba virgo sano ni títere con cabeza. ¡Jopé, con los vándalos! ¡Eran suaves!

—¿Y la Encarna?

—Se llegó hasta el seguro, parece que ya le van a arreglar la cartilla; por lo visto le faltaba una póliza y don Perpetuo, el jefe del negociado, dice que él no firma en tanto y mientras no le peguen la póliza. Eso es lo que le dijo don Luis, el tuerto de la ventanilla. Bueno, tuerto no: bizco. O bizco y tuerto, la verdad es que así por derecho no me atreví a mirarle nunca. Usted ya me entiende: el don Luis el de la ventanilla, vamos, ese señor que está reparado del ojo que le queda hacia la puerta, bueno, el izquierdo, usted ya sabe.

A los reyes de la plaza de Oriente, cuando llega la primavera, los ponen perdiditos los gorriones, lo que se dice perdiditos. Los gorriones son insaciables y claro, de tanto comer, pues eso, que no paran. Pero los reyes de la plaza de Oriente, ¡qué tíos más aplomados!, ni se inmutan. En eso dan ejemplo al vecindario, que está siempre protestando por todo: que si los tranvías van llenos, que si los autobuses no paran, que si en el metro le aplastan a uno vivo, que si el agua está turbia..., la gente no hace más que protestar por todo. Claro, ¡como sale barato! Los reyes de la plaza de Oriente, así un poco ladeados y con un pie para delante como si fueran a cantar "La del soto del parral" o aquello de fiel espada triunfadora que ahora brillas en mi mano, otros hombres y otras lides ya tu gloria conoció, no se pueden portar mejor ni más resignadamente de lo que se portan. ¡Qué paciencia!

—Y usted, ¿arregló lo del seguro, vamos, el asunto de la pierna?

—Pues no, tampoco; todavía no. Según me dicen, es ya cuestión de un par de semanas. La verdad es que un par de semanas, pronto pasan.

* * *

A la sombra de los reyes de la plaza de Oriente, tres hombres hablan de sus cosas. A veces se les acaba lo que iban diciendo y se quedan callados como muertos, a lo mejor durante media hora o más; esto de la conversación es un arte muy misterioso y que no todo el mundo sabe practicar según las reglas.

—¿Qué hora es?

—Las doce, mire usted la sombra de las estatuas.

Todos los hombres, hasta los más ruines, representan su papel en la historia; lo que pasa es que hay papeles tan canijos y desvaídos, que ni se ven. Si alguno de los reyes de la plaza de Oriente, cuando aún le latía el corazón, le tiraba los tejos a una duquesa, o le ponía los puntos a una marquesa, o le metía pierna a una condesa, los historiadores hablaban de los amores reales, llamaban favorita a la coima y escribían lo menos cien páginas con letra clara y multitud de datos y genealogías. Los niños de las escuelas no se enteraban con mucho detalle porque solía venir en letra pequeña y la letra pequeña, según es bien sabido, no se da. En cambio, si cualquiera de los hombres que habla de sus cosas a la sombra de los reyes de la plaza de Oriente, se lía con una vecina, o le arrima un viaje a una criada de servir, o le tienta el solomillo (a la salida de los toros, cuando la función) a una sobrina de su señora, los historiadores no se enteran o, si se enteran, no hacen ni caso. ¡Pues estaría bueno! Quienes sí se enteran son las comadres de la localidad, que no escriben una sola línea, eso no, pero que llaman pelandusca y otras cosas peores a la moza, ¡sí, sí, moza!, y no se callan hasta que baza mayor (si se produce) quita menor. Los niños de las escuelas, bueno, los niños de la escuela del pueblo, se enteran de lo acontecido por el medio que dicen tradición oral, porque en los libros no viene ni siquiera en letra pequeña; en los libros no se puede perder el tiempo con estas tonterías, el papel no está para desperdiciarlo.

Eso de que todos los hombres representan su papel en la historia es cierto, sí, pero con limitaciones. A cada quisque le importa lo suyo, no hay que darle vueltas, lo que pasa es que lo de los demás no interesa sino según quienes sean los demás, debe usted comprenderlo. ¿Qué se les da a quienes no conozcan a los protagonistas que el Mamerto Sesares Joluque, alias Tieso de la Cuchica, esté medio arrimado a la Perseverancia Recocaja Ortiz, alias Anisete? ¡Pues se les da un bledo! ¡Eso, un bledo! ¡Se les da una higa! Por el contrario, si es Ataulfo, Sigerico, Teodoredo u otro rey godo conocido, o Greta Garbo, o Machaquito, ¡menuda se arma!

A Tieso de la Cuchica, ¡quien te ha visto y quien te ve, Mamerto, ayer triunfador y envidiado y hoy cojo por cuenta del seguro!, le partió una pierna la Perseverancia. ¡Tamaña coz! La Perseverancia tiene mal vino, es muy déspota y dominantona, y al Mamerto le sacudió mientras leía el Marca y, claro, no pudo percatarse. ¡Anda que si el quebrado es Fernando VII y la de la estaca, Josefina, la de Bonaparte! La historia es entretenimiento muy cominero, sí, pero también muy discriminativo y mirado. Algunos, para hacerla más fina y misteriosa, le dicen historiografía; la verdad es que queda mejor. Entre las ciencias conexas de la historiografía están la filatelia, la avicultura, la repostería, el derecho foral y otras de menor importancia. Al Mamerto Sesares Joluque, Tieso de la Cuchica, lo que le importa es que en el seguro le dejen la pierna en condiciones: o para huir a tiempo, si Anisete vuelve a arrancársele, o para ganarle por la mano, si ve que viene con las del beri.

3.

Blanquito el de las Zancarronas

En el Calabacino se cantan los tanguillos de Huelva mejor que en ningún lado; los tanguillos del Calabacino son famosos en el mundo entero: Ayamonte, Lisboa, Liverpool, París, etc. En Benamahoma, se canta el fandango con mucha solemnidad: Cojo de la Bornacha, cuando se arranca por fandangos, es igual que el arcángel San Gabriel. ¡Qué tío, el Cojo! ¡Qué facultades! Blanquito el de las Zancarronas se atreve con el cante grande; la debla y la toná no tienen secretos para él. Es una lástima que esté tan amargado y tan tísico porque tiene más condiciones que nadie, parece el Guerra. En Burbunera se murió, hace cosa de un par de años o tres, el hombre que mejor cantaba la serrana en toda Andalucía: el trasquilador Pepe Fuentes, Verduguillo de Rute, al que enterramos oliendo a anís. El ataúd, ¡lagarto, lagarto!, iba cuajadito de moscas, y él, ¡como si nada!, tan quieto. Verduguillo de Rute fue siempre un hombre muy cabal. La alboreá y la trillera todavía se escuchan en Torredonjimeno, en Sorihuela del Guadalimar y en otros lados; los cantes sin guitarra son muy propios y verdaderos, pero la gente se aburre. Rafael el de los Voladores canta como la calandria. En Frigiliana pinta en verdiales, que es cante barato, sí, pero gracioso y de buen café; los verdiales los canta todo el mundo, unos bien y otros mal. Angelito del

Santo Cristo es de los que los cantan bien y seriamente, sin virguerías, ni concesiones al turismo, ni gaitas. En Romailique vive todavía Casilda la Zahora, que fue la reina de las granaínas; debe de ser ya muy vieja. Sebastián Campillo, el enterrador de Níjar, tiene la garganta muy equilibrada para los cantes de levante. Sebastián Campillo es de Agua Amarga y fue novillero voluntarioso aunque sin demasiada suerte; en la tauromaquia le decían Albaricoquero. En Cartagena se canta por cartageneras y en La Unión, un poco más allá, por mineras. Tomás Cuenca, oficinista; Rosendo Núñez, buhonero (él dice vendedor ambulante); Félix Martínez, ferroviario, y Diego Martínez, albañil, cantan por cartageneras con buen estilo y aplicación. Las mineras las cantan los mineros; Pencho Cros, Angel Fernández y Niño Alfonso, los tres de La Unión; Miguel Caparrós, de Alumbres, y Cayetano García, de Portman; también es famosa Isabel Díaz, la Levantina, y el barbero Antonio Rodríguez, Morenito de Levante, ganador del premio Rosario Conde, dotado con mil duretes, uno detrás de otro. Todos los dichos pertenecen al grupo aficionados, que se aclimatan mal cuando los sacan fuera de su pueblo y de sus amigos.

A Blanquito el de las Zancarronas, que se apartó de su pueblo y de sus amigos sin encomendarse ni a Dios ni al diablo, se lo comió Madrid. ¿Sin dejar ni siquiera el rabo? Pues, no; dejándole el rabo de recuerdo, por lo menos por ahora. A Blanquito el de las Zancarronas casi se lo comió Madrid; el rabo

MUS

se lo perdonaron para que pueda contarlo, si vive. Blanquito el de las Zancarronas no era listo; tenía voz y sentimiento, eso sí, pero no era listo. Blanquito el de las Zancarronas pudo haber amasado una fortuna, pero las cosas no le salieron por derecho y sigue pobre, más pobre que las ratas. Blanquito el de las Zancarronas tampoco está demasiado sano; a veces tiene que dejar de cantar porque le da la tos. ¿Y no toma pastillas? Pues, sí, pastillas sí que toma; lo que pasa es que no le hacen nada, se conoce que el mal le viene de más adentro. ¡Pobre Blanquito!, ¿verdad, usted? Pues, hombre, sí, ¡pobre Blanquito!

En Madrid, a veces, bueno, la verdad es que de pascuas a ramos, Blanquito el de las Zancarronas canta en Villa Rosa, o en los colmados de la calle de Echegaray, o donde puede. A veces no puede en ningún lado y entonces se queda sin comer y cría mala sangre. El quedarse en ayunas no sienta bien a nadie y eso de que los flamencos no comen, no es más que una ruin calumnia; los flamencos igual que todo el mundo, no comen cuando no pueden, que cuando pueden bien que se hinchan, muy por lo fino y con disimulo, eso sí, pero se hinchan, ¡vaya si se hinchan! Con el estómago vacío no se puede hacer nada, compañero, ni siquiera solitarios con la baraja; con el estómago al pairo, lo más que se puede hacer es un verso o dos y tampoco muy brillantes, no crea, sino más bien tristes y delgaditos. ¡Mala cosa esa de no tener el estómago al nivel debido! Blanquito el de las Zancarronas es muy esmerado en el cante; lo que pasa es que la gente no lo valora. Sebastián Campillo, Albaricoquero, en cuanto se cortó la coleta y le dieron la plaza de enterrador, dijo que quería vivir tranquilo y, aunque le ofrecieron venirse a la capital, contestó que no, que él no dejaba el destino así como así, y se quedó en Níjar, donde no le falta de nada y está bien considerado por el vecindario. Si Blanquito el de las Zancarronas hubiera tomado ejemplo, otro gallo le cantara y ahora no se vería como se ve; la única disculpa es que ni era enterrador ni tampoco tenía nada seguro, pero en su pueblo no se moría de hambre y en Madrid va camino de conseguirlo. El hombre es animal muy desorientado y tontorrón, bestia medio mansa que sueña con conquistar el mundo y se queda siempre entre Pinto y Valdemoro.

Blanquito el de las Zancarronas, cuando llegó a la corte, anduvo bastante enamoriscado de una gachí paisana suya y casi de su pueblo, la Nati Aljabara Antón, Niña de los Gramadales, que estaba de doncella de confianza de la famosa ventrílocua Miss Peggy, que trabajaba en el circo Price con un número de marionetas muy celebrado. La Miss Peggy se llamaba de verdad, o séase en la cédula, Encarnación Cartín García, de treinta y ocho años de edad, natural de Totana, provincia de Murcia, de estado soltera, de profesión artista. Los amores de Blanquito con la Nati Aljabara iban viento en popa pero terminaron a linternazos y como el rosario de la aurora, o aún peor, porque Niña de los Gramadales, que era más celosa que hecha de encargo, sorprendió un día a su novio dándose el lote con la ventrílocua y, claro, se les arrancó a los dos y sin avisar y a poco más los deja secos. Blanquito pudo salir huyendo y no volvió con su paisana porque, por más que se lo propuso, no tuvo valor para dar la cara. Fue una verdadera pena porque la Nati, además de ser buena chica, solía llevarle bocadillos de salchichón y a veces hasta muslos de pollo. En fin, como bien se dice, ¡qué poco dura la alegría en casa del pobre!

La Nati Aljabara también se había venido a Madrid por mor del cante; no lo hacía mal pero tampoco bien y, en cuanto le salió el chollo de Miss Peggy, guardó el traje de lunares en el baúl y optó por la vida tranquila o, al menos, más tranquila que la otra. A Miss Peggy, cuando lo de la bronca con su doncella (quien además de ponerla a caldo e interrumpirle el amoroso lance, le dejó un ojo a la virulé), le salió de dentro la Encarnación Cartín, natural de Totana, y la puso en la calle a empujones y tirándole sus bártulos por el hueco de la escalera. Blanquito el de las Zancarronas tampoco volvió a ver a Miss Peggy y del suceso, según se demuestra, todos salieron perdiendo. Blanquito el de las Zancarronas no era hombre de suerte, bien se ve, y las cosas se le estropeaban siempre cuando más tranquilas y seguras parecían. En fin, paciencia.

El encargado de casa Félix, vinos y comidas, es hombre de buen corazón; a Blanquito el de las Zancarronas le fía los chatos y, cuando calcula que lo precisa, le mete dentro y le da un plato de lo que sobre:

cocido, callos, fabada asturiana, lo que sea, según los días.

—Gracias, Saturio.

—No hay que darlas, Blanquito; para eso estamos.

—¿Para eso estamos? Serás tú, ¡anda que los otros!

A Blanquito el de las Zancarronas, el día que come caliente, le da por echar discursos y decir que no hay más que mangantes y desagradecidos. Un plato caliente de lo que sea (ya se sabe: cocido, callos, fabada asturiana, según los días), cuando cae sobre un estómago en barbecho, produce efectos muy semejantes a los de la borrachera. A lo mejor, el principio activo de los garbanzos, o de las tripas, o de las judías (o de lo que sea, según), cuando pasa a la sangre, revoluciona el sistema nervioso, todo pudiera ser. A Saturio esto no le importa; lo que le importa a Saturio es que Blanquito el de las Zancarronas que es todo un caballero, saque la panza de mal año, por lo menos un par de veces a la semana. Saturio es hombre caritativo y que también pasó sus gazuzas; los que le vieron alguna vez las orejas al lobo del hambre, suelen ser más clementes con los hambrientos que los que no saben lo que es acostarse sin cenar. La caridad del pobre o del que fue pobre es más auténtica; la caridad del rico que siempre fue rico es más meritoria (también más rara) por eso de la ignorancia de la desazón.

4,

Un tejado en el que nace la yerba

La pelusilla de la yerba decora los tejados de las amorosas casas ruines, desportilladas, históricas, aquellas en que la gente lleva ya muchos años naciendo y muriendo, gozando y afanándose, sufriendo y espabilando el dolor con vino tinto y medio tomate con un poco de sal y buena voluntad. Sobre la acera, la vieja casa enseña sus lastimaduras, sus animales mataduras, sus costras y sarpullidos, sus cicatrices y sus tímidos granos secos igual que frutas secas con poco azúcar. Nadie empieza la vida con la faz surcada por el navajazo del tiempo; eso es cosa que viene después, no hay que apresurarse y, si no viene, peor para todos. Era tan joven —se oye decir, de cuando en cuando— que se murió sin una sola arruga; daba gusto verla, con su tez que parecía de porcelana. ¡Pobre chica! ¡De qué poco le valió tener un novio decente!

—Buenos días, señora Andrea.

—Adiós, hija, a conservarse tan guapetona; dé usted recuerdos en su casa.

—De su parte, señora Andrea. Igualmente.

Hacia fines de abril o primeros de mayo, las tejas de las viejas casas se tupen de mil flores amarillas y blancas, azules y de color de rosa, rojas y de color malva; se conoce que es el latido de la primavera que les silba el aviso de la vida, el calorcico del aire, el despertar del corazón. Las cosas no se arreglan jamás, ¿para qué?, pero mientras se pintan los tejados, parece como si un respiro de paz nos diera un poco de crédito para ir tirando. De lo que se trata es de ir tirando, ya usted sabe, que aquí no hemos de quedar ninguno para simiente.

La Paquita Muñoz Cabrera estudia corte y confección. Su hermana, la Lolita Muñoz Cabrera (hay otros dos hermanos mayores, el Pepito y el Pablo, que vienen del primer matrimonio del padre), hubiera querido estudiar secretariado, pero resultaba demasiado costoso para los posibles de la familia. La Paquita Muñoz Cabrera tiene novio; en su casa no lo saben, pero tiene novio. La Lolita, todavía no; la Lolita es aún muy joven para pensar en novios y, además, la verdad es que ningún chico le había dicho nada por ahora. No hay prisa. El novio de la Paquita es ayudante de mecánico, el año pasado era aprendiz. El novio de la Paquita compone poesías en secreto, algunas le salen bastante bien. La Paquita es la única persona que sabe que el Gabrielín es poeta; el novio de la Paquita se llama Gabriel Serrano Madroñal. Los domingos, cuando salen a dar una vuelta o a tomarse una cocacola, van cogidos de la mano; la Lolita se ríe de ellos y les llama los amantes de Teruel; cuando tenga novio dejará de reírse.

La yerba brota al aire libre, por encima de las tejas y en los surcos que quedan entre teja y teja. El señor José Muñoz Ardales, de profesión industrial lechero, nació debajo de las tejas floridas; como su padre, el señor Ramón Muñoz Jarata, también industrial lechero, y como su abuelo, el señor José Muñoz Cortijo, industrial lechero. La casa la mandó construir el señor Ricardo Muñoz Villarrodrigo, mozo de vaquería y bisabuelo de la nueva generación; el señor Ricardo, los domingos y fiestas de guardar, se iba a poner ladrillos en su casa; se ganaba tiempo y también se ahorraban unos jornales. Menos el señor Ramón Muñoz Jarata, a quien mató un taxi en la calle de San Bernardo, todos los muertos de la familia murieron en la casa y con la tranquilidad debida. El último muerto fue una muerta: la Sagrario Carrascal Zocueca, primera esposa del señor José y madre del Pepito y del Pablo; era toda una real hembra, pero le pegó un cáncer y, claro es, sucumbió.

Debajo de las tejas y su peluquín de flores respira el recuerdo de una familia que cruzó por la historia de España sin levantar demasiada polvareda, esa es la verdad, pero también sin hacer la pascua al prójimo ni apuñalar a nadie por la espalda.

—Buenos días nos dé Dios, señora Andrea.

—Adiós, señora Josefa, a conservarse tan guapetona; dé usted recuerdos en su casa.

—Serán dados, señora Andrea; lo mismo digo.

El Pepito Muñoz Carrascal trabaja en la Seat, de oficial carrocero; aprendió de chapista se conoce que con buenos maestros y ahora está bien y considerado. El Pablo Muñoz Carrascal echa una mano al padre en la lechería; él hubiera preferido entrar en la Seat con el hermano, pero no tiene mucha salud. Para mirar por la lechería y llevar un poco las cuentas de las clientas, no hace falta demasiada salud; el trabajo de la lechería es descansado, no mata a nadie. El Pepito Muñoz Carrascal tiene buena voz pero su estilo no es muy moderno. El Pablo tiene poca voz pero más estilo; el Pablo canta muy bien boleros, ayudándose con el micrófono; sin micrófono no se le oiría ni estando al lado. Al Pablo también le hubiera gustado ser cantante en un conjunto musical y dejarse melena; para dejarse melena, no, pero para ser cantante en un conjunto musical, y acostarse tarde, y andar siempre de un lado para otro, también hace falta mucha salud. Esto de no tener mucha salud es una pejiguera, pero no hay nada que hacer. Paciencia. Se tiene salud o no se tiene salud por casualidad, uno no puede hacer nada o puede hacer muy poco, eso es lo cierto. Los hay que tienen salud y los hay que no; es todo. Para correr la vuelta ciclista a Francia claro que hace falta salud, o para ser boxeador o para jugar al fútbol, ¡pero, hombre, para cantar boleros en un conjunto! Pues, sí; para cantar boleros en un conjunto también hace falta salud; bien mirado, la salud hace falta para todo. Entre los reyes de Babilonia, los de los jardines colgantes, vaya, que aquellos si que eran jardines, también los había saludables y menos saludables; al final se murieron todos, es cierto, pero mientras tanto, unos lo pasaron mejor y otros peor.

La segunda señora del señor José se llama la señora Andrea, Andrea Cabrera Rubial. La señora Andrea tiene buenas inclinaciones y trata con mucho ca-

riño a sus hijastros; al Pablo, como está medio delicado, lo cuida más y los domingos le dice que por qué no se queda más tiempo en la cama.

—No; voy a salir un poco a tomar el aire.

—Ponte la bufanda, no vayas a coger frío.

—No; descuida.

El Gabrielín Serrano Madroñal, el novio de la Paquita, es más amigo del Pepito que del Pablo; a veces van al fútbol juntos. El Gabrielín Serrano Madroñal, cuando le da por componer poesías, se pone medio lánguido y caprichoso, pero le pasa en seguida. La Paquita distingue muy bien cuando al Gabrielín le da la vena lírica; la Paquita es muy espabilada y las caza al vuelo. ¿Te sale el verso? ¡Cállate, tonta! ¿Tú crees que esto es como un crucigrama? Pues, no; para que te enteres. Esto es como las quinielas, aquí influye mucho la suerte. Bueno, no te pongas así; tampoco eso es como para ponerse así, vamos, ¡digo yo! El Gabrielín Serrano nunca le dijo al Pepito que hacía poesías. Al Pablo sí se lo hubiera dicho, pero del Pablo no era tan amigo, con él casi no tenía confianza. Buenos días, buenos días, y ahí quedaba todo; el Pablo tenía un carácter más retraído y no se franqueaba, se conoce que era mismo de la poca salud.

—Buenos días, señora Andrea, ¿qué, cosiendo un poco?

—Pues, sí, hija; aquí, hilvanando una camisa para los chicos. La cortó la Paquita, sin ayuda de nadie; vamos, eso es lo que ella dice.

—¿Y por qué no va a ser verdad? La Paquita es un tesoro, señora Andrea, bueno, ¡qué voy a decirle, que no sepa!

—Gracias, hija; buena muchacha sí es... No me haga caso; las madres no decimos más que tonterías.

—¡Qué cosas tiene, señora Andrea! Bueno, ahí la dejo, me voy a llegar a la tienda a por una gaseosa. Adiós señora Andrea, dé usted recuerdos al señor José y a los chicos.

—Adiós, hija, de su parte.

Lo que pasa debajo de las tejas floridas, se sabe poco. Lo que pasó se va olvidando, quién sabe si casi sin querer. Lo que ha de pasar, no lo sabe nadie; eso de adivinar el porvenir no está muy claro, digan lo que digan.

—Adiós, señora Andrea, voy con un poco de prisa.

—Adiós, Matildita, ten cuidado al cruzar la calle.

Eso de adivinar el porvenir no está muy claro, los profetas hace ya muchos años que no hablan. Nadie lo sabe (o si lo sabe no quiere decirlo), ni siquiera nadie lo sospecha (y si lo sospecha se lo calla), pero el primer muerto a quien la muerte sacudirá su guadañazo debajo del tejado en el que, por la primavera, pintan las flores como mariposas, es el Pablito, bueno, el Pablo (la gente no suele decirle Pablito). Un día se encontrará mal —¿Qué tienes? Nada, un dolorcillo en la tripa— y ya no se levantará en tres meses. A los tres meses lo sacarán como al Cordobés, en hombros, pero con los pies para delante.

—Pobre chico, ¿verdad?

—Pues, sí, ¡pobre chico!

5,

La feria de esclavos

No, no es la feria de esclavos: es la solana de la plaza de toros, por donde pasan los muertos que llevan a enterrar y deambulan los jubilados pobres que salen a tomar el aire. El aire de Madrid es muy velazqueño, todo el mundo lo dice. ¡Qué aire más velazqueño!, ¿verdad usted? ¡Ya lo creo! ¡De lo más velazqueño que se conoce! Al solecico de la primavera, cuando ya el cierzo dejó de marear con su navajazo y las mujeres empiezan a estirarse igual que caracoles contentos, los jubilados pobres salen a tomar el aire, que es barato, y a mirar cómo pasan los muertos que llevan por el camino del cementerio, que van muertos, sí, pero no ateridos. Por el invierno, la vida se disfraza de muerte; no se ha inventado la manera de evitar que esto sea así. El disfraz de la muerte es muy variado, lo malo que tiene es que cuesta mucho trabajo reconocerla debajo de su capuchón. Pierrot y Colombina (los maricas dicen Colombine, pero tampoco es preciso exagerar) pueden llevar la muerte agazapada entre los pliegues del jubón; Arlequín también; Arlequín es máscara poco de fiar, máscara desaprensiva y engañosa, que procede con trampas y marcando el naipe. El Vandregisilo Peón, jubilado palentino y un sí es, no es, prostático, se disfrazaba de destrozona, cuando joven, y aprovechaba para arrear candela a los guardias y a las señoras que salían de la vela y que no se metían con nadie. ¡Qué tiempos aquellos! ¡Qué mano de estacazos, a ésta quiero, a ésta no quiero, aprovechando el tumulto del carnaval, la revuelta luna en la que no se distinguen los vivos de los muertos! A la Radegunda Peón, hermana del Vandregisilo y profesora en partos (no titulada), la llevaban a enterrar, vestida con mucha propiedad de infanta goda, un martes de antruejo, mientras los matasuegras chiflaban su chiflen y el mundo de los tejeringos obnubilaba a Febo (*); como había su miajita de cachondeo, a la Radegunda, en vez de meterla en su nicho, a que esperase con paciencia la hora del juicio final y sus trompetas, la tiraron al río, donde las truchas y los cangrejos. ¡Qué toñazo, santo Dios, se dio la pobre contra las ondas del líquido elemento! El Vandregisilo nunca quiso hablar, ni siquiera cuando era joven, de aquel entierro accidentado. Respetemos su silencio.

—¡Qué! ¿Con que tomando el sol?

—Pues, sí, ya lo ve.

Al Ismael Jopeos Paredón, jubilado albanchecino y tirandillo a asmático, le decían Margarito porque en el 1910 se dio el piro con su tía Margarita, que era medio gilí y que, para colmo, tenía dos filas de dientes; Ismael el Margarito fue siempre muy valeroso y fantasmal (y también algo jaquetón y vivalavirgen) y a su tía la cameló comprandole pirulís de La Haba-

---

(*) ¡Toma del frasco, Nolasco Velasco, digo Raimundo Carrasco, que del bote se ha acabao! ¡Vivan las musas y las gachís de Huércal-Overa!

na y ofreciéndole un corsé parisién. ¡Qué descaro! La Margarita Jopeos, sus labores, cantaba en el coro de la parroquia y, cuando tomó el portante, dejó tras de sí la escandalosa estela del mal ejemplo. La pobre, ¡que Dios la haya perdonado!, murió en La Roda de Albacete en 1912, corneada por una vaca mansa. ¡Si sería pelma la indina, que se le arrancó una vaca mansa!

—¡Qué! ¿Con que tomando el sol?

—¿Usted qué cree?

El Abercio Baterno Retamizas, jubilado añoverano y tres cuartos bronquítico irredento, fue matarife cuando todavía era fuerte para matar, y empleado de pompas fúnebres (de los de abajo), cuando le quebró el fuelle y se le mermaron las facultades. ¡Ay, tiempos, tiempos! El Abercio Baterno Retamizas, mientras estaba en la buena, fue un verdadero as del cachetero, herramienta que manejaba con habilidad y muy esmeradamente. ¡Zas, para el otro mundo!, ¡zas, para el otro mundo!, ¡zas, para el otro mundo!, y así toda la mañana. ¡Qué tío! ¡Qué servicial! ¡Qué forma de dejar seca a la clientela! Después, cuando los bofes empezaron a no responderle, se refugió en las pompas fúnebres por aquello de la querencia, quizás, pero sin demasiado entusiasmo; no es lo mismo, por más vueltas que se le dé, apuntillar chotos que sepultar contribuyentes.

—¡Qué! ¿Con que tomando el sol?

—¿Y qué voy a hacer?

El Filiberto Viñuelas Tejarejo, alias Esponja, jubilado leonés y cirrótico convicto y confeso, trasegó (cuando trasegaba, que después dejó de trasegar) trescientas sesenta y cinco arrobitas de vino al año, durante treinta y cinco o cuarenta años; al final, paró. Si me devolvieran la mitad de los cuartos que me gasté en vino —solía decir—, me compraba un camión de los grandes. El Filiberto Viñuelas entendía mucho de toros al oído, vamos, quiere decirse que, desde fuera, porque para entrar no tenía posibles; desde fuera interpretaba los rugidos del respetable mejor que nadie. ¡Así se torea por chicuelinas, diga usted que sí! O bien, ¡bestia, desgraciado, la carioca la prohibe el reglamento! O bien, ¡cámbiale los terrenos, que por ese lado derrota! O bien, ¡arrímate, maula, que tus buenos duros te llevas! Y así sucesivamente. El Filiberto Viñuelas, ¡qué manera de aguzar el oído!, hubiera hecho un director de banda como hay pocos.

—¡Qué! ¿Con que tomando el sol?

—¡Hombre, algo hay que tomar!

En la feria de esclavos, o sea, bueno, en la solana de la plaza de toros, hay todavía más jubilados, bastantes más, lo menos una docena más, o aún más, pero lo mejor va a ser dejarlos porque si no se iba a armar un lío de pronóstico.

Vandregisilo Peón, el de la hermana a la que le tiraron el cadáver al río; Ismael Jopeos, Margarito, el que se lió con su tía la medio lela; Abercio Baterno, el matachín de la mano pronta, y Filiberto Viñuelas, el del hígado cocido en tinto del país, se reúnen todas las mañanas a tomar el sol y a ver pasar

los muertos, uno detrás de otro. Ahora los muertos van muy deprisa; era más bonito antes, cuando los llevaban en coche de caballos. Se acuerda usted del entierro de aquel que era ministro de Fomento? ¡Qué tío! ¡Qué lujo asiático!

—¡Qué! ¿Conque viendo pasar los muertos?

—¡Hombre, en algo hay que matar la mañana!

A la Radegunda Peón, la hermana del que sacudía estopa a los guardias y a las señoras, no se la comieron los peces de verdadero milagro; el juez se puso muy rabioso y amenazó a todos con escarmentarlos. ¿A palos? No; con la ley en la mano; que es peor. A la Margarita Jopeos de nada le valió tener dos filas de dientes, cuando la vaca mansa de La Roda le pegó un cornalón desconsiderado en el epigastrio (bandujo), tan desconsiderado que la mandó al depósito de cabeza. La Milagrines Mezquita Codosera, que según dicen tuvo sus más y sus menos con el despenador de reses, se casó con un rico hacendado de Panamá y vive con mucha holgura y desprendimiento. La Domi Gutiérrez Ñoretas, concuñada del gachó del oído de gacela, se puso muy estúpida cuando le tocaron siete mil duros en el sorteo del Niño. ¡Anda ahí, que te den morcilla, tía guarra! —le dijo el Filiberto, cuando ya no pudo aguantar más—. ¡Así los cuartos se te conviertan en liendres, por avariciosa!

—¡Qué! ¿Conque viendo pasar los muertos?

—¿Y qué voy a hacer? ¡Mientras no los lleven por otro lado!

El Filiberto Viñuelas Tejarejo, Esponja, estuvo novio de una moza de color nacarado que se llamaba Fesolina Mangas Comendador y que después, cuando se dio cuenta de que su novio bebía más que nadie, matrimonió con un abstemio que se llamaba Rodriguito y que tenía voz de lagartija soltera; la gente cree que la Fesolina salió ganando en el cambio e hizo buena boda, pero no: ni salió ganando en el cambio, ni hizo buena boda. La Fesolina tardó en darse cuenta pero después, cuando ya era tarde y no tenía remedio, se dio cuenta.

—¡Qué! ¿Con que viendo pasar los muertos?

—¿Y a usted qué le parece?

La Milagrines sí que acertó; el Abercio Baterno Retamizas, alias Bizbirondejo, era muy hombre, sí, pero no tenía un ochavo, mientras que el señor de Panamá (cuyo nombre no consta) era tan hombre como cualquiera y además estaba podridito, lo que se dice podridito, de balboas, que es como llaman en su país a la fina tela.

—¿Cómo va usted del vientre, señor Ismael?

—¡Pues, vaya! Del vientre no puedo quejarme, compañero; lo que me trae a mal traer es el asma.

—Ya.

A rey muerto rey puesto (o al menos esa es la intención). Cuando la vaca mansa de La Roda le mató al Ismael Jopeos Paredón, Margarito, a su tía Margarita, el Ismael Jopeos Paredón, Margarito, se declaró a la Perpetua Expósito, inclusera (bueno, ex-inclusera) de hondos y soñadores ojazos negros, talle juncal y palmito de faraona. La Perpetua, que estaba escaldada de hambres y escarmentada de calamidades, le dijo que nanay y el Ismael Jopeos, que en el fondo era de buen conformar, se conformó. ¡Qué remedio!

—¡Qué! ¿Con que viendo pasar a los muertecitos, todos en fila india?

—Pues, sí, ya lo ve.

El Vandregisilo, además de la Radegunda, tuvo otra hermana, la Walburga, que también era medio valquiria. La Walburga se casó con uno al que decían Roque Gil, que estaba empleado en el Ayuntamiento.

6,

Canto por mayos en loor de una arpía doméstica

Marzo ventoso y abril lluvioso hacen a mayo florido y hermoso. (¡Caray, qué tío! ¡Qué forma tiene de arrancar!) Y misterioso y milagroso, sí, señora, que el rocín en mayo vuélvese caballo, cosa que le digo para su gobierno y por si no lo sabía, que me está saliendo usted más burra de lo preciso y que el ayuntamiento permite, y antes prefiero excomunión de cura que bendición de pata de burra, y no lo digo por usted, no crea, que ceja el buey y ceja la mula, bien me lo sé, pero la burra no ceja nunca. ¡A hacer puñetas!

A doña Consolación le pareció mal la dialéctica y se puso hecha un basilisco.

—¡Mamífero luterano! ¡O se reporta usted o llamo a los civiles!

—Sí, señora, sí que me reporto, no tema; lo que pasa es que, nada más verla, me encocoro.

—¿Nada más verme? ¿Y qué tengo yo, desgraciado, para que se ponga usted así con una pobre madre de familia?

—¿Que qué tiene? Bueno, ¡más vale no hablar! Corramos un tupido velo y, en cuanto que pueda, no se descuide usted, muérase (a ser posible de repente y pegando un airoso brinco).

La sola presencia de doña Consolación justificaba

todo: las teorías de Darwin, el diluvio universal, la sublevación de Espartaco, la contrarreforma, la inquisición, la trata de negros, la trata de blancas, la revolución francesa, la guerra del 14, el campo de exterminio de Belsen y otros próximos, la bomba atómica de Hiroshima, los yanquis haciendo de Salomón en Corea y en el Vietnam, todo. La señora era una provocación continua al paisanaje, algo así como, ¿cómo les diría a ustedes?, como la hidra de siete cabezas, pero con bigote y faja. ¿No exagera? ¿Exagerar yo? ¡Precisaría la bien cortada pluma de un Palacio Valdés, o la galana péñola de un don José María de Pereda, para lograr no lograr decir lo que la doña Consolación me inspira! ¿Sabéis, oh niño, por qué toca tanto la banda municipal? ¿Lo ignoráis? Permitidme que os lo aclare: ¿sabéis por qué toca tanto? ¡Porque tiene que tocar! Oiga, ¿eso no es el himno de Riego? Sí, ¿por qué? No, por nada; pura curiosidad.

—¡Alto! ¿Quién vive?

—¡Gente de paz!

—¡La consigna!

—Sana, sana, culito de rana, si no sanas hoy, sanarás mañana.

—¡Adelante! ¡Dejen las armas en el paragüero, por favor!

—Con sumo gusto y fina voluntad.

Don Francisco de Paula Orejón y Comarruga, alias Picnic, se fue para el otro mundo más aburrido que un gato y huyendo (a lo que dicen) de su prepotente señora. ¡Una espantada a tiempo puede valer por una victoria! ¿Qué tal se está en el otro mundo, don Francisco de Paula? ¡Vaya, no hay queja! ¡Mientras la Consolación aguante y no venga a hacerme compañía!

En el mes de mayo se pueblan las calles de Madrid de albas palomitas que van a hacer la primera comunión; las visten mitad de novia y mitad de monja y, aunque suelen apretarles un poco los zapatos (que para eso son nuevos y con el contrafuerte de cartón piedra), se sienten vagamente etéreas y felices, muy felices. La nieta de doña Consolación se llama Socorro, igual que si tuviera cuarenta años y fuera profesora en partos, y también viste de color de nieve.

—¡Niña! ¡Endereza el espinazo!

—Sí, abuelita.

La nieta de doña Consolación va todo lo tiesa que puede; lo que le pasa a la criatura es que le duelen los pies de tanto caminar, le duelen un horror.

—¡Niña! ¡Junta las manos! ¡Más unción, Socorrito, más unción!

En la ciudad hay de todo: floristas, mozos con una banda de luto, primeras casas en gambas a la plancha, soldados, grandes surtidos en mariscos de todas clases, peatones errabundos, cervezas muy frías (dorada y negra), niñas de primera comunión y amiguitas que se apuntan a desayunar chocolate con churros. En la ciudad también hay secretos a voces y médicos que pregonan su ciencia para luchar contra las enfermedades secretas: Doctor Tal y Cual, de las tantas a las tantas, del hospital de San Juan de Dios, etc. En el 1900, don Federico Castillo Estremera publicó un libro titulado "Un día de guardia en San Juan de Dios"; tiene no más de sesenta y tantas páginas en octavo y lleva un prólogo de Eusebio Blasco, el autor del libreto de "El joven Telémaco". Ni la Socorrito ni sus padres habían nacido en el 1900; su abuela, sí; su abuela, aunque se lo calla, es de la quinta de Weyler.

—¡Niña! ¡Recógete la falda que hay gargajos!

—Sí, abuelita.

Durante el mes de mayo silban los mirlos y los ruiseñores en las almas, con su más melodiosa voz, y los querubines revuelan sobre las acacias y se posan en los hierros de los balcones mientras sonríen, cristalina y dulcemente, al vecindario; algunas vecinas (la Rita Ruiz, sin ir más lejos) llegan a hacer una buena amistad con los querubines y hasta los mandan a recados.

—Un real de vinagre, fíjate bien, querubín, dos guindillas, una botella de tres cuartos de Valdepeñas, otra de gaseosa La Casera (llévate el casco) y medio kilo de garbanzos que sean de buena clase. ¿Te enteras?

—Sí, señorita.

—¡Venga! ¡Arreando, que es gerundio! ¡Y no te distraigas por el camino!

—No, señorita, descuide.

A la doña Consolación le decían Jabalí las amigas íntimas; las otras, las que tenían con ella menos

DEL HOSPITAL DE SAN JUAN DE DIOS
DE 12 A 2 TARDE Y 6 A 9 NOCHE
SICILIA
DEL HOSPITAL DE SAN JUAN DE DIOS
DE 12 A 2 TARDE Y 6 A 9 NOCHE
CALLE
CAFE La Esquinita BAR
16
16
1
CERVEZERIA
MARISCOS
1ª CASA
EN
GAMBAS A LA PLANCHA
Pepsi-Cola
EN
MARISCOS

confianza, le decían cosas que el miramiento debido impide copiar.

—¿Tan pecaminosas son?

—¡Huy ya lo creo! ¿No le digo que el miramiento debido me las impide copiar?

Don Guillermino Naranjo y Mascaraque de Tragacete, alias Semifusa, se conformó.

—¡Si es tal como dice, más vale que lo silencie!

—¡Jopé, qué bien hablado! ¿Cómo dijo?

Don Guillermino Naranjo de Tragacete de Mascaraque, digo Mascaraque de Tragacete, alias Semifusa (y también Cornamusa y Grillolirio), carraspeó.

—Pues digo que, si es como usted supone, más vale que se lo calle.

—No; no era así.

Don Guillermino el Grillolirio hizo memoria.

—¡Ah, sí! ¡Ahora, sí! Lo que dije fue, ahora lo recuerdo: ¡si es tal como dice, más vale que lo silencie!

—Eso.

A la doña Consolación, la primera comunión de Socorrito le sirvió para dar rienda suelta a sus dotes de mando.

—¡Niña! ¡Cierra la boca, que te da el flato!

—Sí, abuelita.

A la doña Consolación le gusta el flamenco (aunque no lo declara) y también las zarzuelas. La doña Consolación sabe beber en porrón (como Asunción, la de la copla) y castrar gatos (para alejarles desazones y otras inquietudes de la carne) con una navajilla en cuyas cachas se lee, en letras nacaradas: Soy de Consolación Tarancón. ¡Viva Albacete! La doña Consolación conoce de cartomancia, aunque no ejerce, y guisa un pollo al ajillo muy aparente. Si la doña Consolación fuese muda y medio tullida, ganaría mucho.

—¡Niña, da las gracias a este señor! ¿No estás viendo que te da una peseta?

—Sí, abuelita.

¡Sí, abuelita! ¡Sí, abuelita! ¡Pues claro que sí! En las catacumbas de la ciudad de Nueva York tiene su guarida la horrible secta del terror. Doña Consolación, a lo mejor es del Ku-Klux-Klan y nadie lo sabe; estos del Ku-Klux-Klan son muy misteriosos y reservones. El barbo, la trucha y el gallo, todo en mayo. Y la Socorrito también, que así lo mandó su abuela y no vale resistirse.

—Doña Consolación.

—Mande.

—¿Verdad que la nena parece una novia?

—¡Ay, hijo, no diga usted! ¡Qué forma tienen de hacernos viejos, estas criaturas!

Doña Consolación tenía a veces (pocas veces) un bache de sosiego, casi un hipo de caridad y condescendencia.

—Doña Consolación.

—Mande.

—Querría pedirle un favor que no le cuesta ningún trabajo. ¿Retira usted lo de mamífero?

—Sí, hijo, queda retirado.

—¿Y lo de luterano?

—También.

—Muchas gracias, doña Consolación, que Dios se lo pague.

No hay que asustarse por los sofocos de San Isidro; calenturas de mayo, salud para todo el año. La doña Consolación, a lo mejor se arreglaba aplicándole un tratamiento de sanguijuelas; lo más probable es que tenga sangre de más. En el plan de desarrollo no está previsto hacer morcillas con la sangre de las señoras pletóricas, morcillas de arroz y cebolla que son tan saludables. Los gobernantes —y no sólo los de España, sino también los del mundo entero— adolecen de falta de imaginación. Mucho buscar petróleo y venga de buscar petróleo, mucho levantar hoteles para los turistas y venga de levantar hoteles, pero de las morcillas y otros subproductos de las señoras, ¿quién se acuerda?

—Doña Consolación.

—Mande.

—Nada; que yo también retiro lo que la dije, la verdad es que fue un mal momento del que estoy arrepentido. Uno dice las cosas sin querer y, claro, lo que pasa, que después le remuerde a uno la conciencia. No se muera, doña Consolación, y menos aún de repente y pegando un brinco. Consérvese usted bien y lozana, doña Consolación, se lo deseo muy de veras, se lo juro. Doña Consolación...

—Mande.

—¡Choque esos cinco, doña Consolación!

7,

Los nabos de adviento

Las nubes se forman de vapor de agua, de polen de las florecillas del cielo y de cañotes bien desmenuzados de plumas de ala de ángel; por eso vuelan con tanta facilidad y buen equilibrio, con tanto esmero y fundamento. Cuando las nubes se extienden sobre la tierra, sobre todo durante el mes de mayo, los niños y los gorriones se sienten más seguros y a gusto, más en confianza y con naturalidad; es algo bien sencillo y que, sin embargo, las gentes ignoran o lo disimulan. ¡Qué pena de día!, ¿verdad?, ¡qué lástima que haya amanecido encapotado! Pues no, no crea; así está más templado el aire, más clemente y acogedor; de la otra manera quedaba todo como un poco desnudo. Sí, quizás; no le digo que no. Cada día que pasa me atrevo menos a decir que no a nada, ¡se ve cada cosa! Emilita Valdeverdeja Yunclillos, ahora que estamos en el mes de mayo (el mes de las flores, el mes de María), va a hacer la primera comunión. Emilita Valdeverdeja Yunclillos es pobre, pero para tal trance la visten de princesa, o de hada, o de fantasma de niña muerta en absoluto estado de pureza: de saya blanca hasta los pies, de albo corpiño con las alforzas dadas de almidón y de velo de tul (igual que el medio queso manchego que luce en el escaparate del confitero Serafín). Emilita Valdeverdeja Yunclillos, vestida de máscara, se siente el ombligo del mundo; a los generales en traje de gala, a los obispos de pontifical y a los académicos de casaca y espadín les pasa lo mismo, y eso que en vez de siete u ocho años tienen sesenta o sesenta y cinco o más. Emilita Valdeverdeja Yunclillos va calzada con sandalias de goma blancas, en esto desmerece un poco y además le sudan los pies; las señoritas de la conferencia se conoce que no encontraron mejor cosa que darle. Bastante hacen, habida cuenta de que en el mes de mayo reciben la primera comunión una nube de niñas, talmente lo que se dice un enjambre de niñas, un avispero. ¡Niñas por aquí! ¡Niñas por allá! ¡Niñas por todas partes! ¡Qué horror, qué mano de niñas! Emilita Valdeverdeja Yunclillos está deseando que pase todo, pero, claro es, se lo calla; Emilita Valdeverdeja Yunclillos está muy en su papel, se sabe bien sabida la lección. Cuando vaya a casa de la doña Aurelia seguramente le darán un duro; la doña Aurelia suelta un duro con cierta facilidad, no es como su cuñada la doña Cilinia, que es muy elegante, muy lánguida y espiritual, eso sí, pero que no da ni la hora. ¡Menuda es la doña Cilinia! ¿Para qué querrá todo el dinero que tiene? Hay viejas avarientas que ahorran y ahorran para que los curas, el día de mañana, se lo gasten todo en las misiones, bautizando negros, o para que los sobrinos, también el día de mañana, se pateen alegremente los caudales invitando a champán y regalándoles pastillas de jabón de olor a pelanduscas teñidas de rubio y con el pelo en ricitos Marcel. ¡Qué vergüenza! ¡Cuanto desaprensivo anda suelto por el mundo! A las viejas no hay quien las entienda, lo más prudente es ni intentar siquiera entenderlas. ¿Que una vieja quiere ahorrar? ¡Pues que ahorre, que ya se lo dirán en misas! La doña Aurelia no es que tenga el dinero pronto, no, eso no, pero un duro de vez en cuando sí que suelta. La doña Cilinia, en cambio, tiene el monedero como estreñido. ¡Anda ahí, que la zurzan, por usurera! ¡Que le vaya a dar coba su padre, que está criando malvas desde antes de la dictadura! ¡Pues estaría bueno! Emilita Valdeverdeja Yunclillos no sabe bien a qué casas va a ir a enseñarse y a qué casas no; la verdad es que tampoco le importa demasiado, lo que ella quiere es que le quiten los arreos de lujo y la suelten otra vez en el desmonte, que es lo suyo. Su hermano Buenaventura la mira como a un bicho raro, procura disimular, pero la mira como a un bicho raro; sus hermanas Araceli, Dorita y Justinita, en cambio, la contemplan con un vago aire entre estupefacto y conmiserativo. ¿Estás contenta? Sí; la mar de contenta, ¿por qué? No, por nada. Los niños con un mediano pasar son más dóciles y domésticos que los niños pobres. Los niños ricos son más insurrectos y naturales que los niños con un mediano pasar; son tan insurrectos y naturales como los niños pobres y, a veces, más aún. Los niños pobres y los niños ricos no dan pena porque van a su aire; los que dan una pena infinita son los niños con un mediano pasar, los niños que tienen cara de ir a recibir una torta de un momento a otro y, lo que es más grave, sin saber de dónde les va a venir, si de arriba o de abajo. Esto se ve bien claro a la salida de los colegios y en los solares donde los niños se sacuden estopa con entusiasmo; los que cobran candela son siempre los niños con un mediano pasar, se conoce que están para eso. A Emilita Valdeverdeja Yunclillos la visten de primera comunión al raso, bajo las nubes que forman el vapor de agua, el pintado y pegajoso y amoroso polvo de las amapolas del cielo y el plumón sobrante de las alas de los querubines (que son muchos y están mudando la pluma constantemente). A Emilita Valdeverdeja Yunclillos la nimba un halo de beatitud; a veces, cuando a un niño se le va a cortar la digestión, también le brota por detrás de las orejas como un halo de beatitud. La mamá de Emilita Valdeverdeja Yunclillos se llama Emilia Yunclillos, viuda de Valdeverdeja, viuda con cinco hijos, y es natural de las casas de labor que dicen El Zaucejo, en término de Belvís de la Jara, provincia de Toledo. La Emilia Yunclillos vive de fregar despachos y de vender cajetillas a la boca del metro; a su marido lo mató un camión en la carretera de Getafe, cuando estaba a la necesidad; la verdad es que esto es cosa que no importa a nadie. La Emilia Yunclillos es mujer espabilada y, mejor o peor, va sacando a los suyos adelante. Dios aprieta, pero no ahoga; en ocasiones aprieta más de lo necesario, pero cuando afloja se agradece y se ve todo fácil y viable. Emilita Valdeverdeja Yunclillos está muy desarrollada, parece una mocita (no es aún mocita,

pero lo parece). La doña Aurelia, lo más probable es que le dé un duro y a lo mejor dos. La doña Aurelia suele mandarla a recados y siempre se le ve un detalle: dos pesetas, un vaso de leche, unas croquetas frías, algo; la doña Aurelia es mujer de buenos y humanitarios sentimientos, en eso se distingue de su cuñada la doña Cilinia, que no afloja la mosca aunque la aspen viva. La doña Aurelia calcula que dentro de tres o cuatro años la Emilita podrá valerle para criada; habrá que enseñarla un poco, claro es, pero parece que tiene buenas condiciones, que es lo principal. Ahora, esto de las criadas está cada vez peor; se conoce que la gente prefiere buscarse la vida de otra manera. En Nueva York, según dicen, no hay criadas; dentro de poco no las habrá ni en Ciudad Real, y si no, al tiempo. La Emilita Valdeverdeja Yunclillos, antes de dar otro paso adelante, va a hacer la primera comunión; cada cosa a su tiempo y los nabos en adviento. Cuando crezca y esté en condiciones, a lo mejor se va de criada con la doña Aurelia y a lo mejor, no; eso no puede saberse por anticipado. Ahora, en las fábricas, emplean mujeres para hacer paquetes y también para otras faenas en las que no haga falta mucha fuerza, en las que baste con discurrir un poco; las mujeres suelen discurrir lo suficiente para estos trabajos.

—¿Y si se casa?

—¡Hombre, depende de con quién! Si se casa con un muchacho bueno y trabajador y no se lo mata un camión en la carretera de Getafe...

—Olvide usted eso.

Es muy fácil decirlo, pero a la Emilia Yunclillos no se le va de la cabeza la idea del camión de la carretera de Getafe con su marido muerto al lado y sin una gota de sangre; se conoce que el golpe se lo pegaron en la cabeza, flojo, pero lo suficiente. Hay muertos muy aseados y considerados, muertos nada alarmantes y hasta simpáticos, que cruzan la raya sin aspavientos, ni muecas, ni extorsiones. Otros, en cambio, revientan como una granada y lo ponen todo perdido y manga por hombro. El papá de la Emilita Valdeverdeja Yunclillos, la niña que se prepara para la primera comunión, era de los primeros. Su viuda, la Emilia Yunclillos, compró dos ejemplares del periódico que traía la noticia: uno lo mandó al pueblo y el otro lo guardó en el fondo del baúl; a veces, cuando está aburrida, lo saca a flote y lo lee y lo relee. La verdad es que ya se lo sabe de memoria.

8,

Un matrimonio por amor

Los cojos y los que tienen alas en los pies se calzan en el mismo mágico tambucho. ¿La muerte del cisne? No; polio. ¡Ah, ya! Las cojas y las que tienen mariposas y libélulas en los tobillos se calzan en el mismo hermoso y misterioso cuchitril. ¿La danza del fuego? No; un fardo de bacalao que me cayó encima. ¡Ah, ya! Los hay que nacen para gacela y no faltan quienes caminan, desde que les da la hora de caminar, como tortugas asmáticas, reumáticas y escoradas; es algo que nada tiene que ver con sus merecimientos. Menos mal, ¿verdad? Pues, sí, ¡menos mal! Sería doloroso que la cojera fuese el espejo del alma. ¡Claro! Oiga, ¿usted cree que las almas cojean? En sentido metafórico sí es admisible, hijo mío; pero nada más que en sentido metafórico, puesto que las almas son de éter y aroma. ¡Jopé! Ni jopé ni cáscaras: éter gaseoso y liviano aroma; su materia es inconsútil, o séase que va volando. Ya; oiga, ¿y usted cree que inconsútil quiere decir que va volando? Bueno, no; que va volando, exactamente, no; pero lo parece, ¿verdad que lo parece? Sí; eso, sí, ¡ya lo creo que lo parece!

Melquisedec Almanzor gastaba suela de a palmo, perdonando la manera de señalar, en el pie zurdo. Entre los médicos había división de opiniones: unos decían que la pata corta se le había quedado corta y otros aseguraban que no, que lo que le pasaba es que la pata larga le había crecido demasiado; en lo que sí estuvieron de acuerdo fue en que a las patas había que nivelarlas con la ortopedia para el mejor aseo de la andadura. Correr, lo que se dice correr, no podrá correr, vamos, o podrá correr mal y como un canguro, sólo que más despacio; pero andar, lo que se dice andar, malo será que no ande. Gracias, doctor, no sabe usted bien el consuelo que me traen sus palabras. De nada, paciente Melquisedec, de nada; los médicos no hacemos más que cumplir con el juramento hipocrático.

Vegetalina Pulpite Chincolla, alias Lina Pulpowa Chincoullawinsky, danzas clásicas, saltaba como una pulga a la que hubieran frotado con guindilla en el minúsculo esfínter do rendía viaje su tubo digestivo. ¿Usted quiere decir...?, vamos, ya me entiende. Pues, sí, eso es lo que quiero decir, ¡claro que lo entiendo! Vegetalina Pulpite Chincolla (el apodo es muy difícil de escribir y andaría uno siempre confundiéndose) empezó flamenca y pasodoblera pero, se conoce que a resultas de unas fiebres, se volvió lánguida y dramática y se pasó al ballet. La española, cuando besa, es que besa de verdad; que a ninguna le interesa besar por frivolidad. ¡Viva España! El ballet tiene muy saludables efectos sobre la digestión; se conoce que, con los brincos, el bolo alimenticio se estiba con mucho fundamento y oportunidad. Los médicos suelen recomendarlo en los casos de estreñimiento rebelde (al que algunos tratadistas llaman estreñimiento luterano) y los hay que hasta se quiebran una pata durante la terapéutica; en el tarantín milagroso también se les atiende, no hay que preocuparse: allí casi todo tiene compostura.

El cojitranco Melquisedec y la gorriona Vegetalina coincidían, a veces, en la zapatería de los pies distintos, de los pies que —para bien o para mal— no eran como los demás pies sino diferentes y singulares, y, a fuerza de mirarse y remirarse, acabaron sacando la conclusión de que estaban hechos el uno para el otro.

—¿Me quieres mucho, Melquisedec?

—Mucho, Vegetalina. ¿Y tú a mí?

—¡Más todavía!

—Gracias.

—No hay que darlas. ¿Y me querrás siempre, Melquisedec?

—Siempre, Vegetalina. ¡Durante toda la eternidad!

Los cojos suelen ser algo mentirosillos o, cuando menos, un poco exagerados, pero las novias de los cojos —quizás por eso y como gratitud— lucen muy contentas y saludables, muy amorosas y felices.

—Melqui.

—Dime, Vege.

—No me digas Vege, dime Lina.

—Como gustes. Dime, Lina.

—Oye, Melqui.

—Qué.

—¿Te parece que cuando tengamos un hijo lo mandemos a las misiones?

—Como tú quieras, Vege, digo, Lina; yo no tengo nada contra las misiones. Suelen estar llenas de mosquitos, lo que se dice plagaditas de mosquitos, pero eso se combate a base de tarlatana.

—Claro. ¡Ay, Melqui, hijo, estás en todo!

La boda del Melquisedec y la Vegetalina fue muy sonada, los matrimonios por amor llaman la atención considerablemente. El cura que era viejecito, y no tenía mucha práctica en modernismos, pasó por sus momentos de estupor porque, entre los asistentes a la ceremonia (y a la copa de vino español que se sirvió en los salones del templo), no los había más que de cuatro clases, a saber: cojos, cojas, bailarines y bailarinas. A veces, un poco de variedad ayuda a distraer el espíritu. Los novios emprendieron viaje a Ciudad Real y otras capitales del interior (Jaén, Albacete, Cuenca) y al regreso, ambos se pusieron a trabajar: la Vegetalina, en lo de las danzas clásicas, y el Melquisedec, de representante-acompañante, vamos, de mamá, o séase que la Vegetalina, en vez de presentar mamá, como sus compañeras, presentaba cojo. Está claro.

Como los contratos no llovían, bueno, mejor dicho, como la verdad es que casi no había contratos, el matrimonio del cojo y la danzarina clásica las pasó más bien achuchadillas y hasta pensaron en abandonar el arte.

—Con Tchaikowski no vivimos, está claro; en

ORTOPEDICO
TEATRAL
ZAPATILLAS
DE
BALLET
17
Pepsi Cola

este mundo tan materialista, a Tchaikowski y a sus rítmicas evoluciones no hay quien les saque una perra. A mí me parece que lo más prudente sería que tú, que eres cojo, ensayases un número bufo, a lo mejor, tenías éxito y podíamos comer. ¡Cosas más raras se han visto!

El Melquisedec se quedó pensativo.

—Sí, eso sí. ¡Quién sabe si tendrás razón! Si encontrásemos un número bufo de cierta originalidad, a lo mejor hasta podíamos comer.

El Melquisedec y la Vegetalina hablaron con unos y con otros y, cuando menos lo esperaban (como siempre pasa), les salió el libretista: un funcionario de Telégrafos jubilado, don Florián Guadalabraz Barriga, alias Morse III, que era algo tartamudo (en... en... en... enfermedad pro... pro... pro... profesional, como él decía) pero muy gracioso, que les inventó el número titulado "Corrida goyesca", que tuvo un éxito sin precedentes. La música, cogiendo compases de aquí y de allá, la compuso el maestro Roque Mogón, también habilidoso en radiestesias y otras suertes de alumbramientos. El Melquisedec hacía de Pepe-Hillo y la Vegetalina, muy puesta de cuernos y rabo, representaba el papel de toro Barbudo, de triste y trágico recuerdo. La gente se tronchaba de risa, esa es la verdad, y el matrimonio, con lo de comer caliente, sacó un pelo muy lucido.

—Pero, ¿y el arte, Melqui? ¿Qué hacemos con el arte?

—¡No seas boba, Lina! ¡Lo primero es comer!

Y además, ¿no es arte nuestra versión de "Corrida goyesca"?

—Sí, eso sí... ¡Qué bueno eres, Melqui! ¡Cómo me consuelas y reconfortas en mi fracaso!

Andando el tiempo, la Vegetalina quedó en estado interesante y el éxito que consiguió durante los dos últimos meses del embarazo, interpretando el papel del toro Barbudo fue tan memorable que, cuando volvió a su ser natural, se rellenaba la panza con trapos para que el respetable siguiera cachondeándose. El público, ya se sabe, lo que quiere es algo que le distraiga de sus penas.

—¿Y el nene?

—Pues muy bien, gracias; la verdad es que está ya hecho un hombrecito.

—¿Y qué? ¿Se va a las misiones?

—¡Quite, quite! ¡Las misiones están llenas de mosquitos! ¡Qué horror, las misiones! El nene cuando salga del servicio, o sea cuando le den el canuto, piensa dejarse melena y tocar la bandurria en un conjunto.

—¡Qué original les ha salido el nene!

—Pues, sí; la verdad es que no podemos quejarnos.

El número "Corrida goyesca", debidamente dosificado y con alguna que otra variante (vulgo morcilla), lo estiraron durante cerca de cinco lustros: desde que se decidieron a abandonar el ayuno hasta que al nene lo licenciaron de servir al rey. En ese lapso de tiempo cascaron, sucesivamente, primero el libretista don

Florián, que era ya muy viejecito, y después el maestro Mogón, que no era demasiado viejo, esa es la verdad, no tenía más que ochenta y seis años, pero que había abusado mucho del alcohol etílico, de los mujeres fáciles y de las sardinas asadas.

—Así no hay quien resista. ¿verdad usted?

—Eso es lo que me digo: si uno no se cuida un poco, ¿de qué vale lamentarse, en llegando a cierta edad?

—¡Claro!

Cuando sus colaboradores se fueron para el otro mundo, probablemente para el purgatorio, circunstancia que vino a coincidir, más o menos, con el ocaso de "Corrida goyesca", el Melquisedec y la Vegetalina tuvieron que buscarse otros cómplices que les discurrieran un nuevo espectáculo.

—¿Por qué no se lo decimos al nene? El nene tiene mucha imaginación y ¡quién sabe, quién sabe!

El nene, a instancias de sus padres, echó a volar la imaginación y se sacó del caletre otro número bomba: el titulado "El último emperador de la China", que era muy neorrealista y a lo vivo, muy del gusto de los espectadores modernos, y que va permitiendo a sus progenitores el placer de comer caliente (sin caer en abusos).

9,

El retratista Hermelando

Importa el qué y el por qué, el cómo y el usted perdone, y el cuándo y el cuando usted guste, servidor, que éste es un oficio en el que las buenas formas cuentan mucho, ¡ya lo creo que cuentan!, ¡vaya si cuentan!, ¡cuentan la mar! ¿Trébol, rombo o corazón? ¿Mande? Que si quiere usted el retrato en forma de trébol, de rombo o de corazón. ¡Ah, ya! Pues, no sé..., como salga más barato..., corazón, yo creo que corazón..., es para mandar a Alemania, a mi novio... El retratista Hermelando hacía tres clases de retratos de mozas: en forma de trébol, de rombo y de corazón, que a su vez se subdividían en otras tres: para mandar al pueblo, para mandar a la mili y para mandar a Alemania; éstas eran tan tristes que, a veces, hasta se perdían en el correo. ¿Negro o sepia? ¿Mande? Que si lo quiere usted de color negro o de color de zapato, vamos, o séase marrón, cuesta lo mismo. ¡Ah, ya! Pues no sé..., como usted quiera..., marrón, yo creo que marrón..., es para mandar a Alemania, a mi novio... El retratista Hermelando hacía los retratos en negro y en sepia, a elegir; en ocasiones le salía algún trabajo fino, iluminado a mano, con los labios de coral, la carne de color carne, los ojos y el pelo copiados de la naturaleza con todo primor y un pincelito.(¿Japonés? No; de Albacete, ¿eso qué importa?) ¿Lo quiere usted iluminado a mano? ¡Trabajo fino! ¿Mande? Que si lo quiere usted dado de color con un pincelito especial y acuarela de importación. ¿Mande? Que si quiere que le pinte los labios y los ojos, ¿me entiende? Sí, señor; sí que le entiendo. ¿En el retrato quiere usted decir, o antes? ¡No, hija; antes, no! ¡En el retrato! ¡Ah, ya! Pues no sé..., ¿cuesta mucho? No; por ser para usted, doce pesetas de suplemento. ¡Trabajo fino, le puedo asegurar! Bueno, píntelo usted; es para mandar a Alemania, a mi novio... El retratista Hermelando, además de hacer los retratos en forma de trébol, de rombo y de corazón, y para mandar al pueblo, para mandar a la mili y para mandar a Alemania (nueve posibilidades), los sabía reproducir en negro, en sepia o iluminados a mano (en total veintisiete posibilidades). El retratista Hermelando había sido fraile motilón en Orihuela, la guerra civil le pilló de fraile motilón en Orihuela; libró de milagro y lo enrolaron en las brigadas internacionales. Del tomate también libró de milagro y cuando nuestros campatriotas y sus simpatizantes y adheridos dejaron de correr la pólvora, dio con sus huesos en un campo de concentración. ¿Y también libró de milagro? Sí, ¿cómo lo sabes? El retratista Hermelando matrimonió en el 1944; su señora, la Florita Murciano Ortiz, tenía cara de muerta, era muy flaca y pálida y, claro es, se murió en seguida, en cuanto que le dio un aire un poco a modo. Las hay que no resisten nada, ¿verdad, usted? Sí, hija; las hay que son una calamidad. En fin, ¡paciencia! El retratista Hermelando, cuando su se-

ñora se fue para el otro mundo, pensó en volver a meterse lego, por eso de la costumbre; después prevaleció el buen sentido y se compró la herramienta de retratar: el cajón, el trípode y los hiposulfitos: ¿Y vive? ¡Hombre, vivir, vivir..., lo que se dice vivir! Por lo menos no se ha muerto; ahí lo tiene usted tan terne: con sus tréboles, sus rombos y sus corazones, y sus copias en negro, en sepia y en color para mandar al pueblo, a la mili o a Alemania, según se tercie; por la primavera, cuando a las mozas se les calienta la sangre y se les despiertan las inclinaciones, hasta le sale algún plan, no crea usted que no, incluso bastante aparente y de buen ver; esto de hacer retratos es algo que llama mucho la atención a las mujeres; después de los toreros y de los guardias, los retratistas son los que tienen más partido entre las mujeres y los que encuentran mejores chollos, o séase apaños, a lo mejor hasta sin proponérselo siquiera. ¿Y los músicos? Sí, los músicos también; lo que pasa es que hay menos. El retratista Hermelando fue pastor de cabras antes que fraile (los listos, según explica el refrán, hacen el aprendizaje de cocineros), pastor de cabras en Mazarrón, pueblo que está en el fin del mundo pero más cerca de Orihuela que de Nueva York. Las cabras no dan más que disgustos, ¡quite, quite!, y sinsabores. ¡Menudas son las cabras! Las cabras para quien las quiera, ¿verdad, usted? Sí, hijo; para quien las quiera y, contra más lejos se las lleve, mejor. En cambio los loros, ¿verdad, usted? ¡Hombre, los loros! ¡Jopé, los loros, todos verdes y diciendo lorito real, lorito real, con voz de sordomudos! Lo malo es que en Mazarrón no hay pastores de loros; bueno, la verdad es que tampoco hay loros, ¡lorito real, lorito real!, todos verdes, ¡jopé los loros! El retratista Hermelando hubiera hecho un pastor de loros muy de fundamento y como Dios manda pero, claro, ¡como lo que le daban a guardar eran cabras! ¿Qué culpa tenía él de que le mandaran guardar cabras y no loros? La Florita Murciano Ortiz, de viva, tenía más de cabra que de loro: las patas, la tristeza y la pelambrera más parecían de cabra que de loro. ¡Mala suerte! El retratista Hermelando guardó luto a su difunta pero, en el fondo, se alegró de que cascase. La pobre era una pelma; no tenía culpa alguna, es bien cierto, pero era una pelma de pronóstico. Las señoras pelmas, como mejor están es amortajaditas y en la petaca de pino; una señora pelma es un evidente peligro social y pelmas, las hay muy pelmas, ¡vaya si las hay! Otras, en cambio, son monas y complacientes pero se ajuman y están todo el día, tracatrá, tracatrá, hablando por teléfono con todo el mundo. ¡Qué horror, qué ansiosas! El retratista Hermelando quedó tan harto del sacramento del matrimonio que, aunque proporciones no le faltaron, prefirió no reincidir. De los escarmentados salen los avisados y del Principado de Asturias, los serenos. El monte cría conejos y la ladera da vides... No siga. No, descuide. El retratista Hermelando desayunaba cascarilla, como los clásicos: Homero, Virgilio, el maestro Ciruelo, el general Narváez, don Luis Mazzantini, etc. La cascarilla es muy aromática y saludable y además cubre el hígado con mucho fundamento y provecho para el consumidor; los samurais japoneses, cuando la señora no les tiene preparada la cascarilla para el desayuno, desenvainan el bien labrado puñal del harakiri y empiezan a cargarse biombos como si tal cosa. La cascarilla, además de sus conocidas excelencias, es muy económica y fácil de preparar: con un calcetín se las arregla uno bastante aparente y no hace falta ni cascarillera exprés, ni cascarillera italiana (de esas que son todas de cristal), ni cascarillera de ninguna clase. El retratista Hermelando se las apaña con un calcetín de sus tiempos de la brigada Lincoln, que aún le dura; se conoce que era muy resistente y de primera calidad. A las paridas está muy indicado espesarles la cascarilla con harina de almortas; algunas, sobre todo al principio, devuelven, pero después acaban acostumbrándose. El retratista Hermelando, cuando su Florita empezó a mermar, probó a espesarle la cascarilla con harina de almortas, pero se conoce que se acordó tarde porque su Florita, a pesar del esmero con que fue tratada, se enfrió irremisiblemente. Oiga, encargando media docena de retratos todos iguales, vamos que no tiene usted que molestarse en darle otra vez a la pera, ¿hace rebaja? Sí, señorita; muy considerable. Encargando seis copias le sale una de balde y otra a mitad de precio. Las clientas del retratista Hermelando suelen ser mozas de muy confusa añoranza; las hambres infantiles dejan un poso amarguillo y difícil de borrar en el culo de vaso del diamante del alma, y las niñas de los señoritos, con su falda de tablas, su sombrero de fieltro, su jersey de color y su globo, tienen un no sé qué de tiernos lechoncillos listos ya para el horno. No es costumbre merendar, en la Dehesa de la Villa, por ejemplo, niña gordita asada con un poco de vino y unas cebollitas de adorno y un perejilito en la boca; la policía, que anda siempre metiéndose en todo, acabaría por intervenir. No es costumbre, ya se sabe, pero, anda, que si fuera costumbre, ¡nos íbamos a poner todos como el Quico! Si las costumbres no fuesen tan puritanas, el retratista Hermelando, a lo mejor, no hubiera enviudado y su Florita andaría a estas horas por ahí, rozagante como jamás lo estuviera y más pelma que nunca. El retratista Hermelando, en lo tocante a asar criaturitas, nunca tuvo malos pensamientos. Hay hombres a quienes la buena y caritativa inclinación les cae con naturalidad y como de propina; la cosa no tiene mayor mérito porque eso es mismo de que Dios Nuestro Señor los quiso hacer así, bondadosos sin mayores agobios.

ÍNDICE

Esta primera edición de *Nuevas Escenas Matritenses, Sexta serie,* libro original de Camilo José Cela, quedó lista el día 16 de agosto de 1966. Las narraciones que la componen aparecieron en la revista *Semana,* de Madrid, del 9 de abril al 4 de junio de 1966. Se publica por cuenta y riesgo de las EDICIONES ALFAGUARA, en su colección *Fotografías al minuto.* Fue impresa en los talleres Industrias Gráficas España, S. L., de Madrid, sobre papel fabricado por J. y F. Torras Hostench, de San Julián de Ramis, provincia de Gerona. Lleva fotograbados de Zumaya y fue encuadernada por Rafael Flórez, ambos de Madrid. Los cien primeros ejemplares, numerados del I al C, se tiraron sobre papel de hilo Ingres preparado en el obrador de L. Guarro Casas, de Gelida, provincia de Barcelona, y con diferente imposición. Van firmados por el autor y, aquellos que quedaron suscritos antes de la citada fecha de aparición, llevan el nombre del destinatario impreso.